L'HEURE DU CRIME

DOMINIQUE RENAUD

CLE
INTERNATIONAL

DOMINIQUE RENAUD aura 40 ans en 2001.

Professeur de lettres, il est actuellement attaché linguistique au Paraguay.

Spécialiste du Français Langue Étrangère, il est auteur de plusieurs ouvrages dans ce domaine.

En 1995 paraît son premier roman policier : *Morts à l'appel*. Suivent d'autres titres : *Certains l'aiment froide*, *État d'arme*, *Feinte Alliance*.

Dominique Renaud a publié également des poèmes et des nouvelles.

Les mots ou expressions suivis d'un astérisque* dans le texte sont expliqués dans le Vocabulaire, page 59.

© CLE International, 1999 - ISBN : 209-031824-4
© CLE International/VUEF - 2001
© CLE International/SEJER - 2004

CHAPITRE I

VENDREDI 13 JANVIER. Les rues de La Rochelle[1]
sont désertes. Comme son port* : on peut
y apercevoir une dizaine de bateaux*, tout
au plus. L'horloge de la vieille ville indique 17 h 45.
Depuis deux jours, il pleut. Les habitants ne sortent pas, et les commerces sont fermés.

Rue Bonpland, il fait nuit noire. Une pluie fine
lave les rues. Un décor un peu triste, celui d'après
Noël, lorsque toutes les lumières s'éteignent et
que les gens rentrent chez eux.

Une seule porte éclaire faiblement le trottoir :
celle du Café de la Marine*. Un endroit tranquille,
à ce qu'on dit, et calme. Un homme entre et dit
bonsoir au garçon de café qui tourne alors son
regard vers lui.

– Bonsoir, répond-il.

Le barman est grand et large d'épaules, avec
une boucle à l'oreille droite.

– Vous désirez ?

– Un demi[1].

1. La Rochelle : ville de l'ouest de la France, sur l'océan Atlantique.
Connue comme ville historique et lieu du festival annuel de la
chanson française.

Le client s'est installé à une table, au fond du bar, le dos contre le mur. Face à lui, une dizaine de tables rondes aux chaises vides.

– C'est l'hiver, dit le patron. En hiver, il n'y a personne.

– Sauf moi.

Quelque chose qui ressemble à un sourire se dessine au coin des yeux de l'inconnu. L'idée d'être en vacances, peut-être, car dans la vie cet homme ne sourit pas. Jamais.

– Vous venez d'où ?

– De Paris.

– Voyage d'affaires ?

– Je suis en vacances. Je ne connais pas cette région.

– Pourquoi venir à cette époque ? En juillet, c'est beaucoup mieux. La vie culturelle occupe une place importante, ici. Il y a les festivals ; les Francofolies[2], surtout. Mais, peut-être vous n'aimez pas la chanson française ?

– Je n'aime pas la foule.

– Solitaire ?

– Non. Mais quand on habite Paris, on apprécie le calme. Et cette bière, elle arrive ?

– Tout de suite, monsieur.

Soudain, la porte du café s'ouvre. Un homme

---

1. Un demi : grand verre de bière.
2. Les Francofolies : festival de la chanson franco-canadienne, qui a lieu chaque été.

apparaît. Grand, maigre, la main gauche sur son cœur. L'autre main tient encore la poignée de la porte. Il essaie de dire quelque chose. Trop tard. Il jette un dernier regard vers le comptoir, pousse un cri, puis tombe, tête en avant.

Le barman le regarde fixement, un verre à la main, un torchon[1] dans l'autre. Il est devenu tout pâle. Déjà son client est penché au-dessus du corps immobile, qu'il retourne sur le dos. L'homme a reçu un coup de couteau près du cœur. Il en est presque sûr. La victime est jeune : trente ans à peine. Taille 1,80 m. Vêtements élégants. Aucun papier. Aucun document. Sauf une photographie, d'un format carte d'identité, trouvée dans sa poche de pantalon. Le client la prend, la range dans son portefeuille, puis regarde sa montre. 18 h 04.

– Il est mort, dit-il en se redressant lentement. Vous le connaissez ?

– Jamais vu, répond le barman.

Il revient à son comptoir, se prend la tête entre les mains, puis lève les yeux. Il regarde le corps sans vie et se met à jouer avec le verre vide entre ses doigts. Il tremble comme une feuille. De grosses larmes refusent de tomber sur le bord de ses yeux.

– Il faut appeler la police, dit-il enfin.

– La police... répète le client en se tournant vers l'homme. Vous l'avez devant vous !

---

1. Torchon : toile utilisée pour essuyer la vaisselle.

CHAPITRE II

*L'*INSPECTEUR SIMONI est parisien de naissance. Il a passé toute sa jeunesse et une
partie de sa vie d'adulte à Paris. Il vient
de fêter ses cinquante ans et travaille dans la police depuis vingt-cinq ans. Célibataire depuis toujours, mais père d'un enfant adoptif[1] qui est
aujourd'hui un jeune homme. L'inspecteur Simoni
est un très bon père. C'est l'une des deux choses
qu'il fait le mieux, avec la cuisine. D'ailleurs, à la
police, on l'appelle « papa-gâteau »[2]!

Pour l'heure, il est venu à La Rochelle pour se
reposer et visiter la ville, qu'il ne connaît pas.
Mais le meurtre de la veille vient de modifier ses
plans de vacances : déjà, il n'a pas pu faire la
grasse matinée. On lui a fixé un rendez-vous ce
matin pour 8 h 30, sur les lieux mêmes du crime.
Simoni n'a donc pas dormi, car il a passé une partie de la nuit dans les bureaux du commissariat
pour faire sa déposition[3].

---

1. Adoptif : enfant qui a été pris légalement pour fils ou pour fille
par une ou deux personnes autres que ses parents.
2. Papa-gâteau : qui gâte ses enfants, qui est très gentil avec eux.
3. Déposition : déclaration d'un témoin; témoignage.

8 h 25. Dans la petite rue Bonpland, les voitures des journalistes et de la télévision régionale s'arrêtent les unes derrière les autres, en face du Café de la Marine. Simoni attend devant la porte d'entrée le commissaire Broussac. Celui-ci arrive quelques minutes plus tard en compagnie d'un policier et lui demande de passer à l'intérieur du café afin de pouvoir parler tranquillement.

– Je suis vraiment désolé pour cet accident, dit-il à Simoni en lui serrant la main. Une façon très désagréable de prendre contact avec notre ville. Je suppose que vous êtes en vacances ?

– C'est exact.

– Depuis quand ?

– Je suis arrivé hier par le TGV[1] de 16 h 50.

– Si je comprends bien, vous n'avez pas encore pris le temps de visiter La Rochelle ?

– Non, en effet. J'ai eu juste l'occasion d'apercevoir le port de plaisance*, au sud de la ville, l'un des plus importants d'Europe, m'a-t-on dit. Mais je sens que je vais beaucoup aimer cette ville.

– Et ses habitants ?

– Pour le moment, je n'en connais que deux : le patron du Café de la Marine, et ce jeune homme qui, malheureusement, n'a pas eu le temps de me parler.

– Votre impression sur ce crime ?

---

1. TGV : Train à Grande Vitesse.

– Je pense que la victime n'est pas entrée dans ce café par hasard.

– Racontez-moi comment cela s'est passé.

L'inspecteur explique : son arrivée dans le café désert ; la discussion avec le barman, puis l'apparition soudaine du jeune homme, la chemise pleine de sang, enfin le coup de fil à l'hôpital et, quelques instants plus tard, à la police.

– Le seul problème, c'est qu'il n'avait aucun papier sur lui. Je ne sais donc pas qui c'est.

– Moi, si ! répond le commissaire. Thierry de Vallombreuse. Fils du député Charles de Vallombreuse.

Simoni le regarde, surpris.

– Les journalistes le savent ?

– Pas encore.

– Vous pouvez me faire en quelques mots le portrait de Thierry de Vallombreuse ?

– Facile. Thierry est âgé de 28 ans. Diplômé d'études commerciales. Élève brillant. Cinq ans plus tôt, il se marie avec une jeune femme, universitaire, fille d'un grand industriel de la région nantaise[1], avec qui il a un enfant. Brigitte, son épouse, est ce qu'on appelle une belle femme. Visage bien dessiné, cheveux bruns, yeux bleus, elle fait penser à Isabelle Adjani[2]. Côté cœur,

---

1. Région nantaise : autour de la ville de Nantes, à l'ouest de la France.
2. Isabelle Adjani : actrice de cinéma française.

aucun problème, semble-t-il. Bref, un couple heureux, presque parfait.

– Pourquoi « presque » ?

– Parce que la perfection n'existe pas, répond le commissaire dans un soupir. Parlons à présent de cet autre témoin : Morbier. D'après vous, il ne connaissait pas la victime ?

– C'est ce qu'il dit. Mais... tenez, j'ai trouvé ça sur M. de Vallombreuse, fait l'inspecteur en lui remettant la photo d'identité prise dans l'une des poches de pantalon du mort.

– Intéressant, très intéressant... Qu'en pensez-vous ?

– Rien pour le moment. Je préfère attendre un peu. Voir venir. C'est une habitude chez moi.

– Vous avez raison. Cela dit, je dois tenir compte de cette photographie. Je ne peux pas faire autrement.

Le commissaire se tourne vers le policier qui garde l'entrée.

– Dumas, faites venir M. Morbier.

L'homme arrive un instant plus tard. Le commissaire lui pose quelques questions. Morbier répond. Mais très vite, Broussac a l'impression que l'homme récite une leçon apprise par cœur.

– Vous êtes le patron de ce café ? lui demande-t-il.

---

1. Gérant : personne qui dirige une entreprise pour le compte d'un propriétaire.

– Le gérant[1] seulement.

– Il y a longtemps que vous travaillez ici ?

– Six mois.

– Six mois ? Qui s'occupait du café avant vous ?

– Hervé Chottard.

– Ce café paraît être une bonne affaire. Pourquoi n'est-il pas resté ?

– Je... je ne sais pas.

Le commissaire sent que l'homme lui cache quelque chose.

– Que faisiez-vous avant de venir ici ?

– Je... j'étais au chômage[1].

– Vous êtes de la région ?

– Non, je suis breton[2]. De Brest. Mais j'ai long-temps vécu à Nantes.

– Tiens ! Comme c'est bizarre.

– Pourquoi ?

– Parce que la victime est du même endroit.

– Ah ?

– Vous ne la connaissiez pas, m'avez-vous dit ?

– Non.

– Vous en êtes sûr ?

– Certain.

– Vous savez que cela peut être dangereux de mentir à la police ?...

1.Être au chômage : ne pas avoir de travail, d'activité profession-nelle.
2. Breton : de la Bretagne, à l'ouest de la France.

CHAPITRE III

— ON PEUT ANNONCER l'arrestation de Morbier, commissaire ?

– Il a avoué[1] ?

– Pas encore.

– Dans ce cas, on ne dit rien.

– C'est que... les journalistes veulent savoir, et...

– Dites-leur que l'enquête avance ; et... apportez-moi un café bien fort, vous serez gentil.

Assis devant son bureau, le commissaire relit les pages du dossier de Lucien Morbier, gérant du Café de la Marine, arrêté la veille. Né en 1951. Divorcé. Sans enfant. En 1990, Morbier est accusé de vol à main armée[2] dans un supermarché. Il jure qu'il est innocent. La justice le condamne à cinq ans de prison. Sort en 1995. Voyage à travers la France. Il trouve du travail ici et là, dort dans des petits hôtels ou bien dans des maisons abandonnées. Morbier ne reste jamais plus d'un mois au même endroit, mais c'est un homme tranquille, sans histoire.

---

1. Avouer : reconnaître comme vrai quelque chose que l'on a fait.
2. Vol à main armée : action de prendre quelque chose de manière illégale avec une arme, un objet qui peut tuer.

Il se trouve à La Rochelle quand, un jour, un homme lui propose de s'occuper du Café de la Marine. Il est de Nantes, comme lui. L'homme en question s'appelle Hervé Chottard. Morbier lui parle de ses années de prison. Mais Chottard lui fait confiance.

Morbier accepte.

Six mois plus tard, Thierry de Vallombreuse est trouvé mort devant sa porte, à l'intérieur du bar. Par chance – pour Morbier –, l'inspecteur Simoni, en vacances à La Rochelle, a tout vu. Il était en train de boire un verre, seul avec le gérant du bar, lorsque le drame est arrivé. L'assassin est donc quelqu'un de l'extérieur.

Le café arrive. Broussac le boit d'un trait, puis se lève, ouvre la fenêtre. En bas, dans la grande cour, quelques journalistes font les cent pas, bloc-notes[1] et appareils photo en main.

Le commissaire songe à Morbier ; revoit sa tête rentrée dans les épaules, ses cheveux coupés court, sa boucle d'oreille et son tee-shirt serré qui laisse apparaître ses muscles. « Un ours, se dit-il. Les ours peuvent être dangereux si on les attaque, ou si on les blesse. Mais ce ne sont pas des tueurs. Ils sont même de nature plutôt paisible. »

Le commissaire referme la fenêtre, saisit son téléphone.

---

1. Bloc-notes : ensemble de feuilles collées les unes aux autres, que l'on peut détacher facilement.

– Allô, Dumas, faites monter Morbier, voulez-vous.

Quelques instants plus tard, Lucien Morbier pénètre dans le bureau du commissaire. Broussac et le gérant du café, qui sont presque du même âge, se regardent avec une pareille curiosité. De la main le commisaire pousse une chaise vers l'homme et dit :

– Asseyez-vous donc, Morbier.

– Je suis assis depuis douze heures. Je vous remercie, mais je suis aussi bien debout.

– Comme vous voudrez. Hum !... dites-moi, Morbier, êtes-vous superstitieux ?

– Je crois que nous le sommes tous, un jour ou l'autre. Pourquoi ?

– Il y a sept ans, la police vous arrêtait dans un café de Nantes. C'était un 13 janvier. Comme hier.

– Il y a des choses qu'on n'oublie pas.

– Avez-vous une explication ?

– Aucune.

Le commissaire demande à Morbier de lui raconter sa vie. Morbier accepte. Il prend l'histoire à son début, c'est-à-dire à sa propre naissance à Brest en 1951. Et la suite : sa vie à Nantes comme poissonnier* dans une grande surface[1], les problèmes avec son père, son amour pour les voyages, ses années de prison, enfin son installation à La

---

1. Grande surface : supermarché.

Rochelle. Il parle du « milieu »[1] nantais qu'il fréquente pendant cinq ans. Et de Didou, sa femme.
Une Antillaise belle comme les îles, dit-il, mais qui
ne supporte pas les visites à la prison et qui repart
un beau jour dans son île natale, la Guadeloupe*.

– J'ai l'impression que vous n'avez pas beaucoup de chance, constate Broussac.

– C'est ce que je me dis aussi.

Le commissaire regarde Morbier. Ils sont à peu
près de la même taille, mais Morbier est beaucoup plus fort que lui.

Après un court instant, le commissaire lui
demande :

– Avez-vous, oui ou non, participé au vol du
supermarché de Nantes ?

– Non.

– Connaissez-vous ceux qui ont fait le coup[2] ?

– Non plus.

– Alors, pourquoi vous ?

– Vous l'avez dit vous-même, commissaire : la
malchance. Je suis né sous une mauvaise étoile.

– Je veux bien vous croire, Morbier.
Cependant, votre avocat est d'un avis différent :
selon lui, vous savez qui sont les responsables du
vol du supermarché. Mais pour une raison qu'il
ignore, vous avez toujours refusé de donner leurs

---

1. Le milieu : ensemble de personnes qui vivent en dehors de la loi.
2. Faire le coup : ici, mauvaise action.

noms. C'est ce que je viens de lire dans votre dossier que Nantes m'a envoyé.

– C'est une vieille histoire, commissaire. Je déteste parler du passé.

– Cinq ans, c'est long; très long, Morbier. Vous deviez avoir une bonne raison pour ne pas parler...

– Je n'ai plus rien à dire sur ce sujet.

Le commissaire tire alors de son tiroir une enveloppe qu'il pose sur la table, devant Morbier.
– Savez-vous ce qu'il y a à l'intérieur ?

– Non.

– Votre photo. L'inspecteur Simoni l'a trouvée dans l'une des poches de la victime. Bizarre, non ?

– Ce n'est pas à vous que je vais apprendre que dans la vie il se passe souvent des choses bizarres !

Visiblement, Morbier ne veut pas en dire davantage. Néanmoins, Broussac insiste :

– Vous ne connaissiez pas personnellement Thierry de Vallombreuse; mais lui vous connaissait – ou du moins il savait qui vous êtes.

– Peut-être. Et après ? Qu'est-ce que cela change ? Est-ce que cette photo peut prouver que moi je le connaissais ?

– Non, bien entendu. Mais il est clair que, si vous ne mentez pas, vous ne dites pas toute la vérité. Pourquoi ?

– Ça me regarde[1].

---

1. Ça me regarde : c'est mon affaire, mon problème. Ça ne concerne que moi.

CHAPITRE IV

*L*E COMMISSAIRE BROUSSAC est allé visiter la chambre que Lucien Morbier a prise en location. Il revient là chaque soir vers 23 heures, de retour de son travail. Il veut en savoir plus sur Morbier, et il espère trouver quelque chose chez lui.

L'immeuble, de taille assez modeste, est composé de dix studios meublés[1]. Il est situé en dehors du centre, non loin de la gare. Morbier a choisi cet endroit parce que le loyer[2] y est moins cher.

Le commissaire sonne à la porte principale. Une femme entre deux âges apparaît bientôt, un balai à la main. Elle regarde cet homme brun, mal habillé et mal rasé, d'un œil méfiant.

– Oui. C'est pour quoi ?

Broussac salue poliment la dame.

– Commissaire Broussac, dit-il en sortant sa carte. Puis-je entrer ?

Un sourire se dessine soudain sur le visage de la femme.

---

1. Studio meublé : petit appartement composé d'une seule pièce, loué avec le mobilier.
2. Loyer : le prix d'une location.

– Excusez-moi, commissaire. Je suis la gardienne de cet immeuble. Je croyais que c'était encore une de ces personnes qui viennent pour demander de l'argent! Entrez donc! Vous désirez quelque chose, peut-être ?

– Je souhaiterais visiter la chambre de Lucien Morbier.

– Pourquoi ? Il a fait quelque chose de mal ?

– Non. Simple visite. Vous le connaissez ?

– Je le vois chaque matin, lorsqu'il part au travail. C'est un monsieur très bien, poli, gentil, et très propre. C'est moi qui fais le ménage dans sa chambre.

– Il invite souvent des amis ici ?

– Jamais. C'est bien le seul dans cet immeuble.

– Une petite amie, peut-être...

– Croyez-moi si vous voulez, commissaire, mais je n'ai jamais vu M. Morbier avec une femme!

– Bon. Vous avez un double de sa clé, je suppose ?

– Bien sûr! Tenez.

– Vous pouvez me montrer sa chambre ?

– C'est au deuxième étage. Suivez-moi.

Le commissaire Broussac monte les deux étages à pied avant d'atteindre un couloir faiblement éclairé.

– C'est la troisième porte, au fond à gauche.

***

Le décor de la chambre est simple : une grosse armoire, un lit défait, une petite table au milieu de la pièce, deux chaises en plastique et un vieux fauteuil en cuir. Un téléviseur repose à même le sol. Il n'y a aucune photo aux murs, aucun livre ; seulement quelques magazines du mois dernier et des journaux de la même date.

La cuisine, minuscule, est simple elle aussi : un frigidaire, un four à gaz, une demi-douzaine d'assiettes, de couteaux et de fourchettes, quelques verres ... « Le minimum », se dit Broussac.

Dans le coin du salon, il aperçoit une valise, vide mais encore ouverte. Il se dirige vers le lit et ouvre le tiroir de la petite table : un stylo, du papier à lettres, un carnet d'adresses aux pages blanches. « Cette chambre est un mystère, pense Broussac ; elle est comme son locataire. »

Il ouvre le second tiroir, de l'autre côté du lit. Il y trouve un livre : *Les Misérables*, un roman de Victor Hugo. Il l'ouvre et tourne la première page. Il y découvre une dédicace[1] : « *Le temps sera peut-être moins long grâce à ce livre. Ta femme qui t'aime. Didou.* »

« Le seul souvenir que Lucien Morbier a gardé de ses années de prison, se dit le commissaire. À part cela, il n'y a rien ici. C'est la chambre d'un homme seul, qui a décidé de changer de vie ! »

---

1. Dédicace : quelques mots écrits pour quelqu'un à l'intérieur d'un livre offert en cadeau.

CHAPITRE V

*E*NVELOPPÉ DANS SON PEIGNOIR après sa douche, l'inspecteur Simoni décroche le téléphone et demande qu'on lui apporte son petit déjeuner. Il regarde par la fenêtre et, voyant que le ciel est bleu, décide de faire sa promenade matinale. Comme à Paris, mais un peu plus tard : 9 h 30, l'heure des vacanciers. Son hôtel est à deux pas du vieux port. Simoni se dit que le vieux port, c'est ce qu'il y a de plus pittoresque à La Rochelle ; avec ses trois tours, celles de la Chaîne, de la Lanterne et de Saint-Nicolas, construites entre le XIVe et le XVe siècle. Il paraît que les touristes adorent. Les familles aussi. Elles promènent leurs enfants entre 10 heures et midi, puis entre 16 heures et 18 heures, après la sieste. Été comme hiver. Mais l'hiver c'est différent : la ville est vide, ou presque.

Simoni consulte le plan de la ville ; il a bien envie de faire le tour du port, jusqu'au bassin des chalutiers*, où il espère apercevoir quelques pêcheurs*. De son hôtel, il voit la porte de la Grosse-Horloge, du XIIIe siècle, qui est l'entrée de la vieille ville, avec ses rues du

Moyen Âge, où les voitures sont interdites.

À peine dehors, l'inspecteur repense au crime de l'avant-veille. La photo de Vallombreuse est en première page de tous les journaux du matin. C'est l'homme du jour. On ne parle que de lui et de sa famille. Deux mots d'abord sur Charles de Vallombreuse, député et avocat, très connu dans les milieux de la politique et de la haute société. Père de trois enfants, dont Thierry, assassiné hier. Les journalistes rappellent les circonstances du meurtre : une petite rue calme, un joli café. Personne à l'intérieur, sauf le barman. Et puis soudain un homme qui entre dans le bar, blessé à mort...

« Aucun journal ne parle de moi », se dit l'inspecteur en regardant l'entrée du port. « Broussac n'a rien dit pour me laisser tranquille. »

Puis brusquement, Simoni fait demi-tour et quitte le vieux quartier. Il n'a pas le cœur à visiter la ville.

Une demi-heure plus tard, il se retrouve devant le bureau du commissaire.

– Eh bien, inspecteur, que faites-vous donc ici de ce temps-là ? Vous avez un problème ? Quelqu'un vous a volé vos papiers ?

– Je pense au meurtre d'avant-hier. Y a-t-il du nouveau ?

– Un peu. Morbier nous a menti ; il connaît la famille Vallombreuse.

– Vous en avez la preuve ?

– Oui. C'est le père de la victime elle-même qui me l'a donnée. Par téléphone.

– Eh bien ?

– Au moment du procès de Morbier dans l'affaire du supermarché de Nantes, Charles de Vallombreuse était l'avocat de la défense[1].

– Pardon ?

– Vous avez bien entendu.

– Et vous croyez que...

– Je ne crois rien, Simoni, je constate, c'est tout.

Il y a un moment de silence. Puis l'inspecteur demande :

– Avez-vous déjà dit à Morbier ce que vous venez de m'apprendre ?

– Pas encore. Pourquoi ?

– Parce que je pense qu'il est innocent.

– Continuez.

– D'après les éléments que vous avez, Morbier a voulu se venger[2], nous sommes d'accord ?

– Oui.

– Je suis comme vous : je ne connais pas cet homme ; mais je l'ai vu, et je pense qu'il est assez fort pour se venger lui-même. Or, il n'a pas tué Vallombreuse. J'étais là, je peux témoigner[3].

1. Avocat de la défense : personne qui défend et représente les victimes d'un acte.
2. Se venger : agir de manière à punir le responsable d'une action, qui nous a blessé.
3. Témoigner : dire ce que l'on sait.

– Que cherchez-vous à me faire comprendre ?

– Quelqu'un lui a tendu un piège[1], commissaire. Ce soir-là dans le café, de l'endroit où je me trouvais assis, personne, depuis la rue, ne pouvait me voir. L'assassin vérifie donc que Morbier est seul ; il tue Vallombreuse à quelques mètres de là, certain que la police va accuser le gérant, pour la raison que vous m'avez donnée : la vengeance.

– C'est possible ; mais cela veut dire que l'assassin connaît le passé de Morbier.

– Et qui connaît son passé, ici, à La Rochelle ?

– Un seul homme : Hervé Chottard.

– Exactement. C'est même lui qui lui a proposé ce travail. Une question, commissaire : quand le voyez-vous ?

– Demain.

– Vous le connaissez ?

– Je sais seulement que depuis quelque temps il vit avec une certaine Anne-Sophie Letellier, riche héritière[2] de la région, de dix ans plus âgée que lui. Chottard semble être un homme ambitieux.

– Et que fait-il à présent ?

– Du commerce. Il part aussi souvent en mer. Il possède un voilier* avec lequel il pratique la pêche au gros*.

---

1. Piège : moyen dont on se sert contre une personne pour la tromper, la mettre dans une situation difficile.
2. Héritière : personne qui reçoit les biens d'une autre personne qui vient de mourir (argent, meubles, tableaux...).

– Et Mme Letellier ?

– Elle l'accompagne de temps en temps, quand il fait beau.

– Avez-vous une photo du couple ?

Broussac tire un magazine de son tiroir et présente la dernière page à l'inspecteur qui se penche dessus.

C'était il y a trois mois. Le couple est assis côte à côte, un verre de champagne à la main. Invités d'une soirée à l'Hôtel-de-Ville[1]. Ils sourient à l'objectif. À côté d'eux, on reconnaît le maire de La Rochelle. L'inspecteur Simoni regarde le visage de la femme. Visage sévère de personnage puissant. Le genre d'individu qui obtient[2] tout ce qu'il veut. Anne-Sophie Letellier est la fille d'un riche industriel, décédé[3] depuis peu. Seule héritière, elle dirige elle-même une industrie pharmaceutique dans la région de Nantes.

– C'est incroyable! Tout le monde vient de Nantes, se dit Simoni à haute voix : Vallombreuse, père et fils, Morbier, Chottard, et à présent la femme qu'il fréquente. Vous ne trouvez pas cela curieux, vous ?

– Pour Chottard et Morbier, non. Mais pour Vallombreuse, qui habitait Nantes... se faire tuer ici, dans ce café...

---

1. Hôtel-de-Ville : mairie d'une ville assez importante.
2. Obtenir : avoir, recevoir ce qu'on a demandé.
3. Décédé : qui est mort.

CHAPITRE VI

*S*IMONI SENT LA BIÈRE qu'il a bue un quart d'heure avant au Café de la Paix, cette superbe brasserie[1] au décor fin de siècle, classée monument historique. L'inspecteur sourit à l'idée de savoir que Simenon[2] y venait souvent pour écrire ses histoires policières.

Il sonne à la porte d'une maison bourgeoise située non loin du quartier historique. Bientôt un homme vient lui ouvrir. Il tient une cigarette entre ses doigts.

– Monsieur Chottard ?

– C'est moi. Que voulez-vous ? demande l'autre sur un ton désagréable.

– Inspecteur Simoni. Je peux vous parler un moment ?

– C'est à quel sujet ?

– C'est au sujet du meurtre d'avant-hier soir, au Café de la Marine.

– Je n'ai rien à voir dans cette histoire. Je ne travaille plus dans ce café depuis un an. De plus,

---

1. Brasserie : grand café-restaurant.
2. Georges Simenon : célèbre auteur francophone de romans policiers, d'origine belge.

j'ignore qui est ce...

– Vous connaissez bien Morbier, n'est-ce pas ?

– Et alors ?

– Peut-être savez-vous des choses à son sujet que la police ignore ?

– Je ne sais rien de plus que ce que vous savez déjà.

– Mais... vous connaissez Morbier !

Chottard regarde le visiteur dans les yeux, écrase sa cigarette du bout du pied.

– Ecoutez, commissaire...

– Inspecteur.

– Inspecteur. Dans cette affaire, il me semble que les choses sont claires : d'un côté, le fils de Charles de Vallombreuse, le célèbre avocat, assassiné près d'un café, de l'autre, un barman – Lucien Morbier – condamné il y a sept ans pour vol à main armée par l'avocat de la défense qui a pour nom : Charles de Vallombreuse. Pourquoi chercher plus loin ?

– Parce que l'explication est trop simple, monsieur Chottard. De plus, je suis certain que Morbier n'est pas l'assassin de Vallombreuse.

– Ah bon! Et comment cela ?

– Au moment du meurtre, je me trouvais dans ce café.

L'homme le regarde, surpris par la réponse de Simoni.

– Les journaux n'en parlent pas!

– Parce que les journalistes ne le savent pas. Le commissaire Broussac a préféré ne rien leur dire à ce sujet. Aussi, pour moi, un fait est sûr : quelqu'un cherche à accuser Morbier du meurtre de Vallombreuse. La mise en scène[1] est presque parfaite : l'assassinat à deux pas du Café de la Marine, un soir où il n'y a personne, une victime à qui il ne reste plus qu'une minute à vivre et qui trouve la force de pousser la porte du café vide ; enfin un homme – coupable idéal – que l'on peut accuser immédiatement puisque – croit-on – il n'y a aucun témoin.

– Sauf vous.

– Sauf moi. Mais, de la rue, là où j'étais assis, personne ne pouvait me voir. L'assassin ne m'a donc pas aperçu et a assassiné Vallombreuse, croyant que Lucien Morbier était tout seul.

Chottard hésite. L'inspecteur comprend qu'il est en train de réfléchir.

– Je veux bien croire que vous dites la vérité, poursuit Simoni ; que Morbier n'est pas, ou n'est plus votre ami. Le problème, c'est que si Morbier occupe ce travail, au Café de la Marine depuis six mois, c'est grâce à vous.

– Ce qui veut dire... ?

– Que vous êtes pour moi le suspect[2] numéro 1. Au revoir, monsieur Chottard.

---

1. Mise en scène : ici, présentation arrangée d'un événement.
2. Suspect : personne qui est soupçonnée.

CHAPITRE VII

*S*UR LA PLACE DU VIEUX-MARCHÉ, il n'y a pas beaucoup de circulation, la nuit commence à tomber. L'inspecteur Simoni s'arrête un moment au « Teatro Bertini » pour y manger, sur les conseils du commissaire, une délicieuse pizza aux fruits de mer*: anchois*, crevettes* et moules*. Il s'est assis à une table recouverte d'une toile de papier rouge. Sur la table voisine, il y a le journal local.

En page trois, on parle encore du crime de la rue Bonpland. Pour la première fois, on cite le nom de l'inspecteur Simoni.

« *Un policier de la PJ[1] parisienne, présent à l'heure et sur les lieux du crime !* » lit-on en gros titre.

« Par chance, personne ne me connaît à La Rochelle », se dit l'inspecteur en repliant le journal.

L'inspecteur réfléchit un moment, paye sa pizza, puis sort du « teatro Bertini ». Direction : la maison de Broussac, qui habite à quelques minutes de là.

---

1. PJ : police judiciaire.

La maison du commissaire est simple mais pleine de charme. La lumière qui provient de la porte d'entrée projette sur la façade l'ombre des arbres du jardin. L'inspecteur sonne à la grille. Au fond du jardin, une porte s'ouvre et, dans le carré de lumière, apparaît une jeune femme en tenue d'employée de maison.

– Le commissaire est-il chez lui ?

– Oui, monsieur.

– Inspecteur Simoni. Je voudrais lui parler un moment.

La bonne[1] accompagne Simoni jusque dans le salon. Avec ses horaires impossibles, ses trois enfants et son épouse qui travaille comme secrétaire de direction, Broussac a besoin d'une aide. C'est ce qu'il explique à l'inspecteur en le présentant à sa femme.

– Qu'est-ce que vous buvez ? demande le commissaire, une fois les présentations faites.

– Ne vous dérangez pas.

– Ça ne me dérange pas. Cognac ?

– Pourquoi pas ?

Le commissaire fait un signe à son employée, puis il prend Simoni par le bras et l'amène dans son bureau dont les fenêtres donnent sur le jardin. Aux murs, des reproductions de Buffet. L'inspecteur attend que Broussac lance la discus-

---

1. Bonne : employée de maison.

sion. Mais le commissaire ne veut pas lui donner ce plaisir, c'est à Simoni de lui fournir les renseignements.

Quand la bonne revient, les deux hommes prennent leur verre sur le plateau et trinquent[1] ensemble. Puis Broussac se penche vers l'inspecteur :

– Quoi de neuf, Simoni ?

– Morbier est innocent.

– Vous me l'avez déjà dit !

– Je crois qu'il y a une relation entre la victime, l'assassin et lui.

– Je le pense aussi.

– Premièrement, Morbier connaît Vallombreuse – du moins le père. Deuxièmement : l'assassin le sait. Celui-ci connaît Morbier, mais Morbier ne le connaît peut-être pas. Troisièmement : Morbier ne nous dit pas tout, ce qui veut dire qu'il sait sans doute qui est derrière cette affaire.

– Êtes-vous sur une piste[2] ?

– J'ai vu Chottard. L'homme ne me plaît pas. De plus, il a peur. Cela se voit.

– Vous avez vu sa compagne ?

– Mme Letellier ? Non. Mais vous m'avez montré sa photo dans un magazine.

---

1. Trinquer : choquer son verre contre celui de quelqu'un avant de boire en signe d'amitié.
2. Piste : ensemble d'indications qui oriente les recherches de quelqu'un sur quelque chose.

– Et alors ?

– Chottard est bel homme. Mme Letellier a dix ans de plus, mais elle est riche.

– Conclusion ?

– Je trouve cette relation bizarre, pour ne pas dire étrange.

Broussac se lève, réfléchit un instant en marchant autour de son bureau, puis demande, sur le ton de celui qui connaît déjà la réponse :

– Si je comprends bien, vous pensez que Chottard est l'assassin ?

– Exactement.

– C'est possible. Seulement, il y a un problème.

– Ah oui! Lequel ?

– Chottard se trouvait chez Mme Letellier le soir du meurtre.

CHAPITRE VIII

*D*E SON HÔTEL, l'inspecteur observe les gens à travers la fenêtre de sa chambre. Ils font la queue pour aller voir *Les Visiteurs 2*[1] au cinéma situé en face. Simoni est au téléphone avec le commissaire qui lui raconte les dernières nouvelles de l'affaire Vallombreuse : Lucien Morbier a avoué connaître le père, mais il jure qu'il ne connaissait pas le fils. L'inspecteur ne l'écoute pas vraiment. Il regarde fixement à travers la vitre. Le commissaire lui dit qu'il voit Anne-Sophie Letellier cet après-midi. Il souhaite l'interroger seul, sans Simoni.

– De toute façon, ce n'est pas mon enquête, répond l'inspecteur, c'est la vôtre. Je ne suis que témoin.

– Vous m'êtes d'un grand secours, explique Broussac ; mais cette affaire est délicate. Vous comprenez, Simoni, le fils d'un député est mort. Nous ne devons faire aucune erreur.

– Je comprends fort bien, commissaire.

---

1. *Les visiteurs 2* : deuxième partie d'un film à grand succès, sorti en 1998.

Broussac le remercie et Simoni raccroche. Il ne reste plus personne devant l'entrée du cinéma. L'inspecteur enfile sa veste et sort de sa chambre d'hôtel.

Dans le hall, quelqu'un l'attend : Bertrand Lavigne, le boulanger de la rue Bonpland. Son commerce se trouve juste en face du Café de la Marine. C'est un petit homme rond et souriant qui, à soixante-dix ans, conserve une belle chevelure grise et une dentition[1] parfaite. Il travaille dix heures par jour et n'a pas besoin de porter de lunettes. « C'est l'alimentation, dit-il; je fais très attention à ce que je mange : des légumes frais, des laitages, peu de viande, une goutte de vin. C'est comme ça que je garde la santé. »

Le boulanger propose au policier de s'arrêter dans un restaurant près du vieux port afin de goûter aux spécialités maritimes* de la région.

Simoni accepte volontiers et les deux hommes pénètrent bientôt dans un restaurant où ils commandent un plateau de fruits de mer et un vin blanc de qualité.

– Un des meilleurs restaurants de la ville, déclare le boulanger.

Simoni sourit.

– Tant mieux ! J'adore les fruits de mer. Et à Paris, c'est tellement cher !

---

1. Dentition : ensemble des dents.

Puis il lui pose des questions sur le Café de la Marine. Bertrand Lavigne le connaît bien, puisqu'il travaille en face depuis trente ans.

Simoni lui demande ce qu'il pense de Chottard. Le boulanger lui répond qu'il ne l'aime pas beaucoup.

– Un homme bizarre, dit-il. À mon avis, il ne connaissait pas son métier.

– Expliquez-vous, je ne comprends pas.

– Eh bien, c'est simple : Chottard faisait un travail qui n'était pas le sien. Les habitués le disaient : c'était son employée qui s'occupait de tout. Lui, il avait toujours des rendez-vous.

– Des rendez-vous ? Avec qui ?

– Je ne sais pas. Des hommes, dit Lavigne en se versant un second verre de vin blanc.

Le plateau de fruits de mer arrive ; une dizaine de variétés de coquillages* et de crustacés* présentés sur un lit d'algues*. Les yeux de l'inspecteur Simoni brillent de plaisir. Il prend quelques moules, une demi-douzaine d'huîtres*, des langoustines*, une patte de crabe* et un morceau de homard* avant de reprendre la conversation.

– Si je comprends bien, vous pensez que Chottard faisait en réalité autre chose que son métier ?

– Exactement.

– Vous savez que ce que vous me dites là peut être grave...

– Vous me demandez ce que je pense de lui, je vous réponds.

Simoni se sert un peu de vin avant d'ajouter :

– Que faisiez-vous le soir du meurtre ?

– Rien. J'étais devant la télévision. Je me couche tôt.

– Vous n'avez donc vu personne ce soir-là dans la rue ?

– Moi, non. Mais je connais quelqu'un qui a peut-être rencontré la personne que vous cherchez.

– Ah oui ? Et qui ?

– Mon épouse. Elle revenait d'une promenade sur le vieux port. Vous savez comment sont les femmes : dans une petite ville comme La Rochelle, elles connaissent tout le monde !

– Et qu'a-t-elle vu ?

– Une personne qui semblait très pressée en quittant la rue Bonpland.

– Elle l'a reconnue ?

– En vérité, elle n'a pas fait très attention. Mais après le meurtre de M. de Vallombreuse, elle a essayé de se souvenir. Et elle a trouvé.

L'inspecteur Simoni regarde le boulanger. Il tire un paquet de cigarettes de sa poche, en propose une à Lavigne, qui fait un signe négatif de la tête.

– Merci, je ne fume plus depuis vingt ans.

– Qui ? demande enfin l'inspecteur.

– Si je vous le dis, vous ne me croirez pas !

CHAPITRE IX

*D*IMANCHE 15 JANVIER. 17 h 25. Le téléphone se met à sonner dans la chambre de l'inspecteur et Simoni décroche aussitôt.

– Allô, inspecteur Simoni. Anne-Sophie Letellier à l'appareil. Je vous dérange peut-être ?

– Pas du tout.

– Bien. Je crois que nous devons avoir une discussion tous les deux ?

– Pourquoi pas ? Vous avez vu le commissaire Broussac, me semble-t-il ?

– Il vient justement de sortir.

– Dans ce cas, pour quelle raison voulez-vous me rencontrer ?

– Parce que vous avez parlé avec Hervé ce matin. Voulez-vous passer chez moi ce soir ? Pour prendre un verre et discuter, bien entendu ?

– D'accord.

– J'ai une maison secondaire[1] sur l'île de Ré*, près du village de Saint-Martin. Vous connaissez les lieux ?

– Absolument pas.

---

1. Maison secondaire : qui n'est pas l'habitation principale.

– Bien. Vous prenez le pont ; vous arrivez à Rivedoux-plage. C'est l'entrée d'où partent les deux routes principales. Prenez à droite, direction « La Flotte ». C'est un ancien village de pêcheurs. Vous passez La Flotte. Saint-Martin se trouve à quelques kilomètres. C'est, si je puis dire, la capitale de l'île. Vous verrez : c'est charmant. Ah ! J'oubliais : le pont est payant ; 60 francs aller-retour. Gratuit si vous êtes à pied... ou en vélo.

– J'adore la marche à pied.

– Parfait. Autre chose : je serai seule.

– Sans Chottard ?

– Sans Chottard.

Simoni regarde sa montre.

– Il est 16 h 30. Dans deux heures, ça vous va ?

– C'est parfait. À ce soir, inspecteur.

Dix minutes plus tard, il est en route vers l'île de Ré. Par précaution[1], l'inspecteur a pris son parapluie. Le vent s'est levé. Il fait tanguer[2] les barques* dans le port. La radio a annoncé une tempête* pour cette nuit. S'il revient tard, Simoni couchera dans un petit hôtel de l'île. Sur le pont qui relie La Rochelle à l'île de Ré, l'inspecteur est seul. De gros nuages passent au-dessus de sa tête. Au loin, la lumière du phare* éclaire par instants l'horizon. Les rues sont vides, les volets des maisons fermés. On n'entend rien d'autre que le bruit

---

1. Par précaution : par prudence, pour éviter un problème.
2. Tanguer : bouger dans le sens de la longueur.

des vagues* et le cri des mouettes* dans le ciel.

Arrivé près de la jetée*, à l'autre extrémité du pont, Simoni tourne à droite et prend une route qu'une pancarte[1] désigne comme la direction de Saint-Martin.

Lorsqu'il se présente devant la grille de la propriété, il commence à pleuvoir.

Mme Letellier habite dans une belle demeure. Elle vient lui ouvrir à l'instant même où il appuie sur la sonnette.

– Enchantée, inspecteur.

– Moi de même, chère madame.

– Vous prendrez bien un verre ?

– Volontiers.

– Whisky ? Cognac ? Porto ?

– Cognac. Après tout, c'est la spécialité de la région.

– Vous connaissez La Rochelle ?

– Non. C'est la première fois que je visite la Charente-Maritime[2].

– Et qu'en pensez-vous ?

– Je n'en pense rien. Je n'ai pas encore eu le temps de la visiter.

– À cause de ce crime horrible, je suppose ?

– Exactement.

– Quelle tristesse, n'est-ce pas ?

---

1. Pancarte : sorte de tableau qui porte une inscription, une indication.
2. Charente-Maritime : nom donné à la région de La Rochelle.

– Vous connaissiez la victime ?

– De nom, seulement. Il paraît que vous avez tout vu ?

– Une partie seulement. Lorsque Thierry de Vallombreuse est entré dans ce café.

– Parce que vous y étiez ?

– Parce que j'y étais. Je prenais un verre.

– Et qu'en pensez-vous ?

– Pour le moment, pas grand-chose. La police a arrêté un homme, Lucien Morbier, gérant du Café de la Marine.

– Vous le croyez coupable ?

– Non.

– Et le commissaire Broussac, qu'en pense-t-il ?

– Je crois qu'il attend des preuves[1].

– J'ai justement quelque chose qui peut vous intéresser.

– Ah bon ?

– Hervé Chottard. Je suis désolée de dire cela, mais... le commissaire m'a posé des questions sur l'emploi du temps d'Hervé. Je lui ai dit qu'il est venu chez moi vers 18 heures. C'est faux. Hervé est arrivé bien plus tard, entre 19 h 30 et 20 heures.

– Vous en êtes sûre ?

– Certaine.

Pourquoi avez-vous dit 18 heures au commissaire ?

---

1. Preuve : élément qui sert à établir qu'une chose est vraie.

– Parce que Hervé m'a demandé de le faire.

– La situation est grave, madame Letellier : n'oubliez pas qu'il y a eu un crime !

– Je sais, inspecteur. J'ai fait une erreur. Une grosse erreur. J'ai menti[1] au commissaire parce que je ne pensais pas une seule seconde à la responsabilité d'Hervé dans cette histoire. Mais ce matin, j'ai eu un doute. Après votre visite chez lui, Hervé m'a téléphoné. Il m'a dit qu'il avait des problèmes et m'a demandé de l'aider. Je lui ai demandé comment. Et il m'a répondu : « Si tu vois l'inspecteur Simoni, dis-lui bien que je suis arrivé chez toi vers 18 h 30-19 heures. Pas plus tard ! »

Simoni boit son verre en silence. Il a écouté Mme Letellier avec un grande attention.

– Juste une question, chère madame : pourquoi me dites-vous cela, maintenant ?

– Juste une réponse, inspecteur : pour la justice.

– La justice est-elle plus forte que l'amour ?

– Nous sommes en face d'un meurtre, inspecteur, pas d'un vol d'argent. Si, par malheur, Hervé est responsable de ce crime, il doit payer. Parce qu'il a tué quelqu'un, mais aussi parce qu'il m'a menti !

---

1. Mentir : dire le contraire de la vérité.

CHAPITRE X

L' INSPECTEUR n'a pas dormi de la nuit. À peine sorti de chez Anne-Sophie Letellier, il a téléphoné à Nantes, puis s'est rendu à la gare de La Rochelle en taxi où il a réussi à prendre le train de 20 h 30. Par chance, il n'y avait pas de tempête ; de la pluie, seulement. Simoni n'avait pas une seconde à perdre. Une fois arrivé à Nantes, il a prévenu le commissaire par télécopie et lui a demandé de convoquer Morbier, Chottard et Letellier le lendemain matin à 11 heures dans son bureau. Puis il a ajouté, au bas de la télécopie : « Il est 22 heures. Je suis à Nantes pour la nuit. Je fais l'aller-retour. Demain, je vous donne le nom de l'assassin. »

***

10 h 45. Bureau du commissaire Broussac. Tout le monde est là. Simoni vient d'arriver. Il retire son manteau, son écharpe[1], et s'assoit au milieu de la pièce. Le visage de l'inspecteur ne

1. Écharpe : pièce de laine ou de coton que l'on met autour du cou quand il fait froid.

semble pas fatigué. Il paraît même reposé.

Hervé Chottard est resté debout, le dos contre le mur, un peu inquiet. Anne-Sophie Letellier, assise à la gauche de Simoni, est silencieuse. Tout comme Morbier. Au fond de la pièce, un policier en uniforme garde la porte.

Derrière Simoni, le commissaire Broussac attend. Il vient d'allumer une cigarette.

Bientôt, l'inspecteur lui fait un signe de tête. Broussac demande alors au policier de fermer la porte, salue l'ensemble des personnes présentes dans son bureau et commence par faire un résumé de l'affaire. Tout le monde l'écoute en silence. Au coin, non loin du commissaire, une sténographe[1] prend des notes.

– Aujourd'hui, l'inspecteur Simoni et moi-même sommes certains d'une chose, dit-il pour conclure : l'assassin se trouve ici, parmi nous.

La réaction est immédiate : Morbier, Chottard et Letellier se regardent, plus pâles l'un que l'autre.

– À présent, je laisse la parole à l'inspecteur Simoni. Je crois qu'il a des choses très intéressantes à dire...

Observé par l'inspecteur, Chottard sort une cigarette de sa poche, l'allume, aspire, rejette la fumée, regarde sa maîtresse et Morbier, puis, montrant ce dernier :

---

1. Sténographe : personne qui note par écrit la parole à la vitesse de prononciation normale.

– Ce ne peut être que lui l'assassin.

– Impossible, répond Simoni. J'étais là quand on a tué Thierry de Vallombreuse.

– Il a payé quelqu'un pour le faire à sa place.

– Et ce quelqu'un, payé par Morbier, a tué le fils Vallombreuse juste à côté du café où celui-ci travaille ? Allons, monsieur Chottard, ce n'est pas sérieux !

– Alors, pourquoi avez-vous fait venir Morbier ?

– Parce qu'il a le droit de savoir qui a essayé de l'envoyer une seconde fois en prison !

Chottard rougit[1] légérement.

– À part Morbier, le commissaire et vous, nous ne sommes que deux personnes dans cette pièce. Si je comprends bien, vous pensez que le meurtrier est... Anne-Sophie ou moi ?

– Ou bien les deux !

– Commissaire, dites quelque chose ! intervient[2] Mme Letellier, rouge de colère. C'est intolérable !

– J'ai laissé à l'inspecteur Simoni exactement dix minutes pour s'expliquer.

Furieuse, Anne-Sophie Letellier se retourne alors vers Simoni.

– Avez-vous seulement une preuve de ce que vous dites ?

– Oui.

---

1. Rougir : devenir rouge du visage.
2. Intervenir : ici, prendre part à la conversation

– Peut-on la connaître ?

– Pas encore.

– Je suis désolée de vous dire ça, commissaire, mais l'inspecteur Simoni est en train de perdre la raison[1] !

– Ne vous préoccupez[2] pas de ma santé mentale, chère madame. Parlez-nous plutôt du meurtre de Thierry de Vallombreuse.

– Comment pouvez-vous me parler sur ce ton et me donner des ordres ?

– Parce que les règles habituelles de la politesse[3] n'ont plus beaucoup d'importance quand on se trouve devant une criminelle.

– Oh!

– Ce que vous dites est vraiment affreux ! s'exclame Chottard.

Mais Simoni ne l'écoute pas : il regarde Anne-Sophie Letellier droit dans les yeux, et poursuit[4] :

– Une histoire vraiment stupide, n'est-ce pas ? Le père de Thierry et vous vous connaissez depuis longtemps ; vingt ans, trente ans peut-être. À cette époque, vous vous voyez de temps en temps, à l'occasion de cocktails, de soirées officielles, de rendez-vous d'affaires entre votre mari et lui. Mais vous vivez chacun de votre côté.

---

1. Perdre la raison : devenir fou, dire ou faire n'importe quoi.
2. Se préoccuper de : s'inquiéter de quelque chose, s'intéresser à.
3. Politesse : règles de respect entre les personnes.
4. Poursuivre : continuer.

Charles de Vallombreuse a épousé une femme riche, et vous avez épousé un homme beaucoup plus âgé. Dans votre vie de couple, vous n'êtes heureux ni l'un ni l'autre. Un jour, Charles et vous devenez amants. Vous l'aimez, il vous aime. Cette relation secrète et passionnée va durer près de deux ans. Malheureusement pour vous, un soir, M. de Vallombreuse a une discussion très dure avec l'un de ses fils, Thierry. Il est au courant de tout : de votre relation avec son père, du lieu ou vous vous rencontrez, des cadeaux que vous lui faites, etc. Thierry déteste son père. Charles ne s'est jamais occupé de lui, tout comme il ne s'est jamais occupé de sa famille. Thierry n'est pas jaloux : il veut faire mal ; il veut faire souffrir son père comme lui-même a souffert lorsqu'il était enfant. Alors, il lui demande de vous quitter. S'il refuse, il racontera tout à sa mère et aux journaux !...

– Une question, inspecteur, demande Mme Letellier : comment avez-vous eu ces informations ?

– Par Charles de Vallombreuse lui-même. J'ai fait le voyage à Nantes hier soir, spécialement pour le rencontrer. J'étais sûr qu'il avait des choses intéressantes à me raconter.

– Continuez, fait le commissaire..

– M. de Vallombreuse est un esprit froid, calculateur. Il doit choisir : vous, ou son avenir, politique et familial. Le lendemain, Charles vous dit qu'il ne peut plus vous voir et qu'il a décidé de vous quitter. Vous avez l'impression de devenir folle, vous lui demandez des explications. Il refuse. Vous insistez. Charles finit par vous dire la vérité : son fils Thierry est au courant de votre relation, il veut tout raconter ; il n'y a pas d'autre solution. Vous essayez de le retenir, mais il est trop tard : Charles a pris sa décision. Elle est définitive.

» À partir de cet instant, vous n'avez qu'une idée en tête : vous venger. Mais, comment faire ? Tuer Charles de Vallombreuse ? Impossible. Son fils peut vous accuser du meurtre de son père. Envoyer une lettre à sa femme qui dit toute la vérité sur son mari ? Impossible aussi, car vous avez vous-même un mari, qui ne doit rien savoir. Assassiner Thierry de Vallombreuse ? Possible. Mais, pour cela, il faut que le temps passe : vous devez vous faire oublier. Alors, que faites-vous ? Vous attendez ; des années. Un jour, vous faites la connaissance d'Hervé Chottard. L'homme a besoin d'argent. Vous êtes seule, vous êtes riche. Vous faites semblant de croire à son amour. Chottard parle beaucoup, de son passé, de ses amis, de ce qu'il fait. Au cours d'une conversation, vous apprenez que le nouveau gérant du Café de la Marine, où travaillait Chottard auparavant, a connu Charles de Vallombreuse. Chottard vous explique aussi pourquoi....

Anne-Sophie Letellier écoute parler l'inspecteur Simoni en silence. Elle est devenue toute pâle et n'a pas ouvert la bouche. Elle demande une cigarette au commissaire, qui sort aussitôt son paquet de sa poche. Hervé Chottard, qui l'observe d'un air terrible, est aussi pâle qu'elle. Morbier est resté assis, la tête entre ses mains, et regarde fixement le sol.

– Vous êtes très fort, finit par dire Mme Letellier en rejetant la fumée de sa cigarette devant elle. Si je comprends bien, vous croyez que c'est moi qui ai tué M. de Vallombreuse. Mais je vous ai dit que ce soir-là, au moment du meurtre, j'étais chez moi. Ma question est donc la suivante : avez-vous une preuve de ma présence, ce même soir, dans le quartier de la rue Bonpland ?

– Oui. Ici même.

– Puis-je la voir ?

L'inspecteur fait alors un signe au policier posté devant la porte.

– Faites entrer madame Lavigne, s'il vous plaît.

Quelques instants plus tard, une petite femme apparaît ; elle doit avoir une soixantaine d'années. Elle porte une robe bleu pâle et un foulard de couleur identique sur lequel est dessinée une ancre* marine.

Anne-Sophie Letellier la regarde.

– Qui est-ce ? demande-t-elle.

– Josiane Lavigne, répond Simoni. La femme du boulanger. Rue Bonpland. Leur boulangerie se trouve juste en face du Café de la Marine.

Puis il se tourne vers l'épouse du boulanger.

– Reconnaissez-vous cette dame ? lui demande-t-il.

– Oui. C'est bien elle, murmure Josiane.

– Qui, elle ?

– Madame Letellier. La dame que j'ai vue dans les magazines.

– Et où l'avez-vous aperçue plus tard ?

– Dans la rue Bonpland... le soir du meurtre.

– Voyons, c'est impossible ! dit Anne-Sophie Letellier. Je n'ai jamais vu cette dame.

– Moi, je vous ai vue, murmure Josiane Lavigne. Je revenais d'une promenade le long du port. Il était 18 heures juste. Je m'en souviens parce que l'horloge de l'église a sonné à ce moment-là. Il pleuvait. Il faisait froid. Il n'y avait personne dans les rues. Je vous ai reconnue tout de suite. Vous comprenez, madame : je ne vous connais pas, mais je lis les magazines. Lorsque mon mari m'a parlé du crime de M. de Vallombreuse, je lui ai signalé ce détail. C'est tout. Croyez bien que je suis désolée de ce qui vous arrive, madame.

– Et alors ? J'ai le droit de me promener ! Comme vous.

– Je ne dis pas le contraire, madame Letellier. Je dis simplement que je vous ai vue, dans cette rue, le soir du meurtre de M. de Vallombreuse.

D'un mouvement de la tête, Anne-Sophie se tourne alors vers Broussac.

– Et vous, commissaire, qu'en pensez-vous ? Supposons que je me trouvais dans la rue Bonpland le soir du meurtre de Thierry de Vallombreuse. Pouvez-vous m'arrêter pour cela ?

– Non, bien entendu, mais...

– Dans ce cas, commissaire, je n'ai plus rien à faire ici, répond-elle brusquement, prête à partir.

– Un instant, madame Letellier, dit Simoni. Le commissaire vient de vous dire qu'il ne peut pas vous arrêter ; mais il peut vous poser quelques questions. D'abord, parce qu'il y a cette dame, Josiane Lavigne, qui vous a vue, à l'heure du meurtre, dans la rue Bonpland. Ensuite, parce que hier soir, vous m'avez invité à boire un verre dans votre maison de l'île de Ré pour me dire qu'en vérité M. Chottard n'est arrivé chez vous que, vers 20 heures, ce qui lui a laissé le temps d'assassiner M. de Vallombreuse dans le centre de la ville.

– Comment as-tu pu dire un tel mensonge [1] ? s'écrie alors Hervé Chottard d'une voix furieuse. C'est toi qui es sortie. Tu n'étais pas chez toi lorsque je suis arrivé. Tu es revenue une heure plus tard ; et le lendemain, tu m'as demandé de

---

1. Mensonge : action de mentir, de dire le contraire de la vérité.

ne rien dire à la police parce que tu connaissais la famille Vallombreuse et que tu ne voulais pas avoir de problème !

Les yeux fermés, blanche comme une morte, Anne-Sophie Letellier continue à fumer sa cigarette, sans dire un mot. Aussi, le commissaire Broussac décide de prendre la parole.

– Il y a un moyen de savoir qui dit la vérité : interroger la personne qui prend l'argent de la traversée du pont entre l'île de Ré et La Rochelle. Madame Letellier est une personne bien connue des environs.

– C'est déjà fait, répond l'inspecteur. Malheureusement, l'employée qui travaillait ce soir-là était nouvelle. De plus, il faisait nuit. La jeune femme ne se souvient de rien...

– Bon. Continuez, Simoni.

– Revenons, si vous me permettez, au rendez-vous de M. Chottard chez Anne-Sophie Letellier et aux renseignements, donnés par lui, sur le passé de Lucien Morbier....

L'inspecteur se tourne vers Chottard. Il le regarde, s'avance vers lui et pose une main sur son épaule, comme s'il était son avocat et qu'il le défendait.

– Lorsque M. Chottard a raconté à Mme Letellier qui était Lucien Morbier, elle a tout de suite compris qu'elle avait peut-être là le moyen de se venger. Elle est donc allée à Nantes où elle a pris des renseignements à son sujet, et elle s'est aperçue que, par un miracle extraordinaire, Morbier connaissait bel et bien le père de Thierry de Vallombreuse. Chottard disait la vérité. Aussi, que décide-t-elle de faire ? Elle téléphone au fils Vallombreuse sous un faux nom, lui donne un rendez-vous d'affaires près du Café de la Marine, puis le tue à deux pas de là afin que la police accuse Lucien Morbier. Par chance pour Morbier, je me trouve dans son café au moment du meurtre. La police ne peut donc pas le rendre responsable de l'assassinat de Thierry de Vallombreuse. Lorsque, quelques jours plus tard, Mme Letellier comprend que le commissaire et moi cherchons une autre personne que Lucien Morbier, pour la raison que je viens de vous donner, elle se tourne naturellement vers vous, monsieur Chottard

– Pour quelle raison ? Je ne connais pas la victime.

– Peut-être ; mais Mme Letellier, elle, vous connaît. Elle sait plus de choses sur vous que vous, vous n'en savez sur elle.

– Quoi, par exemple ?

– Que vous n'êtes pas vraiment honnête[1]. À La Rochelle, personne ne vous connaît ; mais à

---

1. Honnête : qui dit la vérité, qui est en accord avec les règles de la morale.

Nantes, tout le monde raconte que vous avez gagné de l'argent d'étrange manière. De plus, vous venez de la même ville que Thierry de Vallombreuse. Avec ces informations, la police peut vous mettre en cause, surtout si vous ne pouvez pas dire ou vous étiez à l'heure du crime ! Alors, Anne-Sophie Letellier imagine un plan : elle m'appelle, m'invite à boire un verre dans son salon et me déclare qu'en vérité vous êtes arrivé chez elle plus tard et que vous lui avez demandé de mentir. Pourquoi me dit-elle cela ? Parce qu'elle est sûre qu'entre la parole d'une femme de bonne famille et celle d'un homme déjà connu de la police, la justice va faire son choix[1]....

– Et vous, qu'avez-vous pensé ? demande le commissaire ?

– Rien. Je suis allé voir Charles de Vallombreuse. Je lui ai tout raconté. Pour moi, il y avait deux coupables possibles : Chottard, ou Anne-Sophie Letellier. M. de Vallombreuse m'a donné son avis ; et ce matin, à 8 h 30, je suis passé chez M. Chottard. Je lui ai posé la question de son emploi du temps. Je lui ai dit : « Pouvez-vous me donner une preuve de votre arrivée dans la maison de Mme Letellier vers 18 heures-18 h 15 ? » Il m'a répondu : « Non. Mais je peux vous montrer ceci... »

---

1. Choix : action de choisir.

L'inspecteur tire alors un petit papier de sa poche.

– Qu'est-ce que c'est ? demande Broussac.

– Un reçu[1] de banque. Sur ce papier est écrit le numéro de compte de M. Chottard, la somme qu'il a demandée, ainsi que la date et l'heure : vendredi 13 janvier. 18 h 01. Banque de Saint-Martin. Chottard avait besoin d'argent liquide. Juste avant d'arriver chez Mme Letellier, il s'est arrêté dans le centre-ville et a tiré un peu d'argent. 18 h 01. Île de Ré. Au même moment, quelqu'un assassinait Thierry de Vallombreuse près du Café de la Marine, à La Rochelle.

Le commissaire Broussac regarde Anne-Sophie Letellier.

– Madame, il me semble que l'inspecteur Simoni a été clair et qu'il vient d'apporter la preuve de votre mensonge. Qu'avez-vous à dire ?

Sans un seul mot, et sans un seul signe de protestation, Anne-Sophie Letellier écrase sa cigarette dans le cendrier et tend ses mains vers le commissaire.

– Rien. Vous avez gagné.

---

1. Reçu : écrit sur lequel est indiquée une somme d'argent, la déclaration d'un objet.

*L*E COMMISSAIRE BROUSSAC est passé voir Simoni dans sa chambre d'hôtel.

– Alors, Simoni, bien dormi ?

– Oui. Quand une enquête se termine, je dors très bien ; et je ne fais aucun rêve.

– Je vous félicite. Vous avez eu une idée admirable.

– Je vous remercie, commissaire.

– Dites-moi : quand avez-vous compris que Mme Letellier était coupable ?

– Lorsque j'ai rencontré Charles de Vallombreuse. Il la croyait capable de tout. Moi aussi. Le problème, c'est que je n'avais pas de preuve. Chottard non plus. Il était incapable de prouver qu'il était sur l'île de Ré à l'heure du crime. Pas un témoin, pas un indice[1]. Rien. Je devais donc trouver un moyen pour faire avouer Anne-Sophie Letellier. C'est alors que je me suis souvenu de ma carte de crédit : avant-hier soir, juste avant de sonner à la porte de la maison d'Anne-Sophie, je me suis arrêté à la banque pour

---

1. Indice : signe qui permet de montrer qu'une chose existe.

tirer un peu d'argent. Il était exactement 18 h 01. L'heure exacte du crime, vendredi dernier. Par chance, j'ai gardé le reçu ; je l'ai montré à Mme Letellier, comme si c'était celui d'Hervé Chottard.

– Et elle a regardé l'heure, mais pas la date !

– J'avais une chance sur deux. J'ai gagné. Voilà tout !

– Et Morbier ?

– Quoi, Morbier ?

– Nous cachait-il quelque chose, comme nous l'avons cru ?

– Il croyait que Chottard était le meurtrier. Mais il ne voulait rien dire parce que, grâce à lui, il pouvait travailler.

– Vous lui avez posé la question à propos du supermarché de Nantes ?

– Oui. Par curiosité. Mais il n'a rien voulu dire.

– Voilà une chose qu'on ne saura jamais ! Je crois que c'est aussi bien ainsi. Que va-t-il faire ?

– Il va rester et continuer à travailler au Café de la Marine. Il se plaît beaucoup ici.

– Et vous, qu'allez-vous faire à présent ?

– Visiter un peu la ville.

L'inspecteur regarde sa montre.

– Il est 11 heures. Le ciel est bleu. La mer est calme. Que me conseillez-vous ?

– Vous avez un plan ?

– Bien sûr.

– Asseyez-vous, je vais vous montrer...

Les choses de la mer

Algue : plante qui pousse dans la mer.

Anchois : petit poisson conservé le plus souvent dans l'huile. L'un des poissons les plus importants du monde sur le plan économique.

Ancre : Grosse pièce d'acier suspendue à une chaîne, qu'on jette dans l'eau pour retenir un bateau, un navire.

Barque : petit bateau.

Bateau : embarcation. Les bateaux transportent des gens ou des marchandises sur les fleuves ou sur les mers.

Chalutier : bateau de pêche.

Coquillage : animal marin recouvert d'une enveloppe dure appelée coquille.

Crabe : petit crustacé qui porte une paire de grosses pinces.

Crevette : petit crustacé, gris ou rose.

Crustacés : animaux qui vivent dans l'eau et que l'on peut manger (crabe, crevette, langouste, etc.).

Fruits de mer : crustacés et coquillages que l'on peut manger.

Guadeloupe : île des Antilles. Elle fait partie des départements français d'outre-mer (DOM-TOM).

Homard : crustacé à grosses pinces, très apprécié en cuisine.

Huître : fruit de mer à la coquille très dure, élevé dans des parcs marins, pour la consommation.

Île de Ré : île au large de La Rochelle, entourée de plages de sable fin, reliée au continent par un pont payant.

Jetée : ouvrage qui rend plus facile l'accès à un port.

Langoustine : petit crustacé pêché au large des côtes atlantiques et de la Méditerranée.

Marine : ensemble des gens de mer, des bateaux et des activités qui s'y rapportent.

Maritime : choses de la mer.

Mouette : oiseau de mer, aux plumes grises et blanches.

Moule : mollusque qui vit fixé sur les rochers marins.

Pêche au gros : pêcher les poissons de grande taille.

Pêcheur : personne qui attrape les poissons.

Phare : tour au bord de la mer. Sa lumière guide les bateaux la nuit.

Poissonnier : personne qui vend du poisson.

Port : endroit où s'abritent les bateaux.

Port de plaisance : qui sert aux bateaux utilisés pour les loisirs.

Tempête : le vent souffle très fort, la mer fait de grosses vagues : c'est la tempête.

Vague : mouvement de la mer, qui se soulève et s'abaisse sous l'effet du vent.

Voilier : bateau à voile.

Chapitre 1

1. Dans quelle ville se situe l'histoire ?

2. Est-ce que le client du Café de la Marine est un habitant de cette ville ?

3. D'où vient-il et pourquoi ?

4. Quel est son travail ?

5. Que se passe-t-il à la fin de ce chapitre ?

Chapitre 2

1. Quel âge a l'inspecteur Simoni et depuis quand travaille-t-il dans la police ?

2. Qui est la victime ?

3. Qui est Morbier ? Est-ce qu'il connaît la victime ?

Chapitre 3

1. Pour quelle raison Morbier a-t-il fait de la prison ?

2. Quand a-t-il été arrêté pour la première fois ?

3. Qu'est-ce que l'inspecteur Simoni a trouvé dans l'une des poches de la victime ?

Chapitre 4

1. Que pense le commissaire Broussac aprés avoir visité la chambre de Morbier ?

Chapitre 5

1. Qui est Charles de Vallombreuse ? Que fait-il dans la vie ?

2. Quelle est la nouvelle que le commissaire Broussac apprend à Simoni ?

3. Comment Morbier a-t-il connu Charles de Vallombreuse ?

Chapitre 6

1. À qui l'inspecteur Simoni rend-il visite ?

2. Pour l'inspecteur Simoni, Chottard est le suspect numéro 1. Pourquoi ?

Chapitre 7

1. Décrivez la maison du commissaire Broussac ainsi que son bureau.

2. Où se trouvait Chottard le soir du meurtre ?

Chapitre 8

1. Avec qui l'inspecteur Simoni a-t-il rendez-vous et pourquoi ?

2. Où vont-ils pour discuter ?

3. Que pense Bertrand Lavigne de M. Chottard ?

Chapitre 9

1. Pourquoi Mme Letellier téléphone-t-elle à l'inspecteur Simoni ?

2. Où habite-t-elle ?

3. Quelle information importante va-t-elle donner à Simoni ?

Chapitre 10

1. Qui l'inspecteur Simoni accuse-t-il, dès le début de cette réunion ?

2. Comment Anne-Sophie Letellier a-t-elle connu Charles de Vallombreuse. Qui était-il pour elle ?

3. Dans la nuit, Simoni s'est rendu à Nantes par le train. Pour quoi faire ?

Épilogue

1. Qu'est-ce que le lecteur apprend au cours de l'épilogue, et que le commissaire Broussac sait déjà ?

2. Que va faire Lucien Morbier, maintenant que l'enquête est terminée ?

Édition : Michèle Grandmangin

Illustration de couverture : Dominique Bertail
Coordination artistique : Catherine Tasseau

Illustrations de l'intérieur : Dominique Bertail

Réalisation PAO : Marie Linard

N° de projet 10132199 - Février 2006

Imprimé en France par l'imprimerie France Quercy - 46090 Mercuès
N° d'impression : 62548b